FOLIO CADET

Pour Susan Winter, sans qui…

Traduit de l'anglais
par Vanessa Rubio-Barreau

Maquette : Karine Benoit

ISBN : 978-2-07-063785-0
Titre original : *Horrid Henry and the Secret Club*
Édition originale publiée par Orion Children's Books, 1995
© Francesca Simon, 1995, pour le texte
© Tony Ross, 1995, pour les illustrations
© Éditions Gallimard Jeunesse, 2010, pour la traduction
N° d'édition : 180268
Loi n° 49-956 du 16 juillet 1949 sur les publications destinées à la jeunesse
Dépôt légal : mars 2011
Imprimé en Italie par L.e.g.o S.p.a

Francesca Simon

Horrible Henri
Le club secret

illustré par Tony Ross

GALLIMARD JEUNESSE

3. Paul n'est plus parfait
page 53

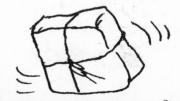

1
Le jour du vaccin

– AÏE !
– OUILLE !
– OUILLE OUILLE OUILLE !

Des cris monstrueux résonnaient derrière la porte du cabinet du Dr Seringue.

Horrible Henri regarda son petit frère, Paul Parfait. Paul Parfait regarda Horrible Henri. Puis ils regardèrent tous les deux leur père qui regardait droit devant lui.

Henri et Paul se trouvaient dans la salle d'attente de la pédiatre.

Il y avait aussi Maudite Marguerite, Ninon Ronchon, Louis Langoisse, Sacha Sympa, Colin Ouin-Ouin, Théo Costaud, Paula Raplapla, Alice Malice, Alexis Malpoli, bref, tous les copains d'Henri.

Ils attendaient le moment fatidique où Mlle Kipik, l'infirmière, les appellerait.

Car c'était aujourd'hui le pire jour de l'année. Le jour du vaccin.

Horrible Henri n'avait pas peur des araignées.

Horrible Henri n'avait pas peur des fantômes.

Horrible Henri n'avait pas peur des cambrioleurs, des cauchemars, des portes qui grincent et des ombres bizarres qui remuent dans la nuit.

Il n'avait peur que d'une seule chose.

Rien que de penser à… à…

Il ne pouvait même pas prononcer le mot. Ces trois syllabes, « PIQÛRE », le faisaient trembler, frissonner, grelotter.

Mlle Kipik entra dans la salle d'attente.

Henri retint sa respiration en suppliant intérieurement :

« Faites qu'elle appelle quelqu'un d'autre. »

– Colin ! cria l'infirmière.

Colin Ouin-Ouin fondit en larmes.

– Pas de ça avec moi, fit Mlle Kipik en le tirant par le bras avant

de refermer soigneusement la porte
derrière elle.

— J'ai pas besoin de vaccin, décréta
Henri. Je vais très bien.

— Justement, le vaccin t'empêche
d'être malade, répliqua son père. Il
combat les virus.

— Je ne crois pas aux virus, décida
Henri.

— Eh bien, moi, oui ! répondit son
père.

— Moi aussi ! renchérit son frère.

– Eh bien, pas moi ! fit Henri.

Son père soupira.

– Tu vas te faire vacciner, un point, c'est tout.

– Moi, les vaccins, ça ne me dérange pas, reprit Paul Parfait. Je sais que c'est pour mon bien.

Horrible Henri s'imagina qu'il était un extraterrestre venu du fin fond de l'espace pour dévorer les humains.

– OUILLE ! hurla Paul.

– Arrête tes bêtises, Henri.

Un cri strident résonna derrière la porte du cabinet.

– NOOOOON ! AAAAAAAÏÏÏÏÏÏ-ÏÏEEEEEE !

Puis Colin Ouin-Ouin ressortit en titubant, la main crispée sur le bras et le visage inondé de larmes.

– Bébé Cadum ! lui glissa Henri au passage.

– Tu vas voir quand ce sera ton tour, répliqua Colin.

Mlle Kipik surgit dans la salle d'attente.

Henri ferma les yeux.

« Pas moi, pas moi, pas moi ! » supplia-t-il en silence.

– Ninon !

Ninon Ronchon entra dans le cabinet en traînant les pieds.

Aussitôt, d'horribles hurlements retentirent :

– NOOOOOOOOOOON ! OOO-OUUUUUUIIIILLLLE ! AAAAAÏÏ-ÏÏÏÏEEEE !

Puis Ninon ressortit, la tête basse, en se tenant le bras et en reniflant.

– Quel bébé Cadum ! commenta Henri.

– On sait tous comment ça va se passer pour toi, ronchonna Ninon Ronchon.

– N'importe quoi ! rétorqua-t-il. C'est même pas vrai, d'abord !

Mlle Kipik réapparut.

Henri enfouit son visage dans ses mains en se répétant :

« Pourvu que ce ne soit pas moi, pourvu que ce ne soit pas moi. »

– Marguerite ! annonça l'infirmière.

Il se détendit.

– Hé, Marguerite, tu sais que l'aiguille est tellement longue qu'elle peut te transpercer le bras ? lui lança-t-il.

Maudite Marguerite l'ignora et entra d'un pas décidé dans le cabinet de l'infirmière.

Horrible Henri avait hâte de l'entendre crier. Il allait se moquer d'elle, ce gros bébé Cadum !

Silence.

Maudite Marguerite revint dans la pièce, exhibant fièrement l'énorme pansement qu'elle avait sur le bras.

– Oh ! là, là ! Henri, tu avais raison, lui confia-t-elle. L'aiguille est longue comme ma jambe !

– La ferme, Marguerite ! répliqua-t-il.

Il avait du mal à respirer et la tête qui tournait.

– Ça ne va pas, Henri ? s'inquiéta-t-elle d'un ton mielleux.

– Si, si.

Il lui décocha un regard noir. Comment se faisait-il qu'elle n'ait ni crié ni pleuré, cette maudite Marguerite !

– Bon, tant mieux, reprit-elle. Je voulais juste te prévenir que je n'avais jamais vu une aiguille aussi grosse !

Horrible Henri se redressa sur sa chaise. Aujourd'hui, il allait faire un effort.

Être courageux. Brave et téméraire.

Il entrerait sans pleurnicher dans le cabinet, tendrait le bras et laisserait

Mlle Kipik faire son sale boulot. Oui, aujourd'hui, c'était différent. Désormais, on le surnommerait « Henri Sans Peur », celui qui riait devant la seringue, celui qui réclamait une deuxième piqûre, celui qui...

– Henri ! annonça Mlle Kipik.

– NON ! hurla-t-il. Pitié, pitié, NON !

– Si, répliqua l'infirmière, c'est à ton tour.

Horrible Henri oublia qu'il était courageux.

Horrible Henri oublia qu'il était brave et téméraire.

Horrible Henri oublia que tout le monde le regardait.

Il se mit à brailler en se débattant comme un diable.

– Ouille ! gémit son père.

– Ouille ! gémit Paul Parfait.

– Ouille ! gémit Paula Raplapla.

Et tout le monde se mit à brailler.

– Je veux pas de piqûre ! cria Horrible Henri.

– Je veux pas de piqûre ! cria Louis Langoisse.

– Je veux pas de piqûre ! cria Théo Costaud.

– Arrêtez ! ordonna Mlle Kipik.

Vous aurez tous votre vaccin, que vous le vouliez ou non.

– Lui d'abord ! couina Henri en montrant son frère du doigt.

– Quel bébé Cadum ! se moqua Alice Malice.

C'en était trop !

Personne n'avait jamais osé traiter Horrible Henri de bébé Cadum.

Il lui donna un grand coup de pied pour la faire hurler.

Son père et Mlle Kipik le prirent chacun par un bras pour le traîner hurlant et gesticulant, dans le cabinet médical.

Paul Parfait suivait, sifflotant doucement entre ses dents.

Mais Horrible Henri réussit à se dégager et s'échappa.

Son père l'attrapa par le col afin de le ramener dans la pièce. L'infirmière claqua la porte derrière eux.

Henri était coincé.

Mlle Kipik restait à bonne distance. Elle connaissait Henri. La dernière fois, il l'avait griffée.

Le Dr Seringue s'approcha.

– Vous avez un souci, mademoiselle Kipik ? demanda-t-elle.

– Oui, lui ! répondit l'infirmière en montrant Horrible Henri du doigt. Il ne veut pas de piqûre.

Le Dr Seringue restait à bonne distance. Elle connaissait Henri. La dernière fois, il l'avait mordue.

– Assieds-toi, Henri, proposa-t-elle.

Horrible Henri se laissa tomber sur une chaise. Il était piégé.

– Quelle histoire pour une si petite piqûre, fit-elle. Appelez-moi si vous avez besoin de moi.

Et elle passa dans la pièce voisine.

Henri gisait sur sa chaise, le souffle court.

Il se cacha les yeux tandis que Mlle Kipik examinait son gigantesque tas de seringues.

Mais il ne put s'empêcher de jeter un petit coup d'œil entre ses doigts. Il la regarda préparer le vaccin, choisissant la plus grosse, la plus longue, la plus pointue des aiguilles qu'il ait jamais vues.

Puis elle s'approcha, brandissant son arme.

– Lui d'abord ! cria Henri en montrant son frère.

— Pas de problème, ça ne me dérange pas, déclara Paul Parfait.

Il s'assit et remonta sa manche.

— Oh ! fit-il lorsque l'aiguille s'enfonça dans son bras.

— Parfait, le félicita l'infirmière.

— Quel grand garçon ! commenta son père.

Paul Parfait sourit, tout fier.

Mlle Kipik se pencha pour reprendre des munitions.

Horrible Henri se ratatina sur sa chaise, jetant des regards paniqués autour de lui. Il remarqua alors la rangée de petits flacons alignés sur la table. C'était avec ça que l'infirmière remplissait sa seringue. Henri plissa les yeux pour mieux voir.

L'étiquette indiquait :

« Ne PAS administrer le vaccin à un enfant fiévreux ou présentant des symptômes grippaux. »

Lorsque l'infirmière se retourna, brandissant sa seringue, Henri se mit à tousser.

Elle fit un pas. Il éternua.

Deux pas. Il renifla, cracha, se moucha.

Mlle Kipik baissa la seringue.

– Ça va, Henri ?

– Non, je ne me sens pas bien. J'ai mal à la tête et la gorge qui me pique.

L'infirmière tâta son front en sueur.

Henri toussa à nouveau, une grosse quinte de toux bien grasse.

– Je n'arrive plus à respirer. C'est une crise d'asthme.

– Tu n'as pas d'asthme, Henri, fit valoir son père.

– Si, depuis aujourd'hui, affirma-t-il.

Mlle Kipik fronça les sourcils.

– Il est un peu chaud.

– Je suis malade, murmura Henri. Je me sens mal.

L'infirmière reposa sa seringue en décrétant :

– Je pense qu'il vaudrait mieux revenir quand il ira mieux.

– D'accord, soupira son père.

La prochaine fois, il ferait en sorte que ce soit sa mère qui l'accompagne.

Henri éternua, renifla, marmonna, ronchonna durant tout le trajet en voiture.

Une fois à la maison, ses parents le mirent directement au lit.

– Maman, fit-il faiblement. Tu peux m'apporter une glace au chocolat pour m'adoucir la gorge ? J'ai tellement mal.

– Bien sûr, mon pauvre chéri.

Henri se blottit sous ses draps bien frais. Mm, c'était la belle vie !

– Maman, reprit-il en toussant. Tu pourrais me monter la télé ? Comme ça, quand j'aurai moins mal à la tête, je pourrai la regarder un tout petit peu.

– Bien sûr, répondit sa mère.

« C'est génial ! pensa Henri. Pas de piqûre ! Pas d'école demain ! Le dîner au lit ! »

On frappa à la porte. Ce devait être sa mère qui lui apportait une glace. Il se redressa avant de se rappeler qu'il était malade. Alors il se rallongea, paupières closes.

– Entre, maman, fit-il d'une voix rauque.

– Bonjour, Henri.

Horrible Henri rouvrit les yeux.
Ce n'était pas sa mère. C'était le Dr
Seringue.

Il eut une terrible quinte de toux.

— Tu as mal où ? demanda la
pédiatre.

— Partout. À la tête, à la gorge, aux yeux, aux oreilles, au dos, aux jambes.

— Eh bien ! s'exclama-t-elle.

Elle sortit son stéthoscope pour écouter Henri respirer.

Pas de problème.

Elle lui glissa un petit bâton dans la bouche en lui demandant de dire « AAAAH ».

Pas de problème.

Elle examina ses yeux, ses oreilles, son dos, ses jambes. Tout allait bien.

— Alors, docteur ? s'inquiéta sa mère.

La pédiatre secoua la tête, l'air grave.

— Il est très malade. Il va lui falloir un traitement de choc.

– Quoi ? fit sa mère.
– Quoi ? fit son père.
– Une piqûre !

2
Le club secret

— Halte ! Qui va là ?

— C'est moi.

— Qui moi ? demanda Maudite Marguerite.

— MOI ! cria Ninon Ronchon.

— Tu as le mot de passe ?

— Euh…

Ninon se gratta le crâne. Le mot de
passe ? Elle se creusa les méninges un
long moment avant de proposer :

— Patate ?

Marguerite poussa un grand soupir.

On n'avait pas idée d'être amie avec une idiote pareille !

— Non, c'est pas ça.

— Mais si, insista Ninon.

— Patate, c'était le mot de passe de la semaine dernière.

— Mais non !

— Si, c'est mon club et c'est moi qui décide, décréta Maudite Marguerite.

Il y eut un long silence.

— Très bien, alors c'est quoi, ton mot de passe ? ronchonna Ninon Ronchon.

— Je ne sais pas si je dois te le dire. Je ne voudrais pas dévoiler un secret de cette importance à l'ennemi.

— Mais je ne suis pas une ennemie. C'est moi, Ninon.

— Chuuut ! la coupa Marguerite. Il ne faut surtout pas qu'Henri sache qui fait partie du club secret !

Ninon jeta un regard par-dessus son épaule. L'ennemi n'était pas dans les parages.

— La voie est libre, conclut-elle. Tu peux me laisser entrer.

Maudite Marguerite réfléchit un instant. Laisser quelqu'un entrer sans mot de passe, c'était enfreindre la première règle du club.

— Prouve-moi que tu es bien Ninon et pas un ennemi qui se fait passer pour Ninon.

— Mais tu sais que c'est moi !

— Prouve-le.

Elle glissa un pied dans la tente en disant :

– Je porte les chaussures noires à fleurs bleues de Ninon.

– Ça ne marche pas. L'ennemi pourrait te les avoir volées, répliqua Marguerite.

– J'ai la voix de Ninon et je ressemble à Ninon, fit valoir Ninon.

– Ça ne marche pas. L'ennemi pourrait être un as du déguisement.

Ninon tapa des pieds.

– Je sais que c'est toi qui as pincé Marie et je vais le dire à la maît…

– Approche-toi, ordonna Marguerite.

Ninon se pencha.

– Maintenant écoute-moi bien parce que je ne te le répéterai pas. Quand un membre du club secret veut entrer, il doit dire « NOUNGA ». Et celui qui est à l'intérieur répond « Nounga

Nou ». Comme ça, je sais que c'est toi et tu sais que c'est moi.

— Nounga ! fit Ninon.

— Nounga Nou, répondit Maudite Marguerite. Entre.

Elle pénétra dans la tente. Elles firent leur poignée de main secrète, puis Ninon Ronchon s'assit sur un carton en ronchonnant :

— Tu savais depuis le début que c'était moi.

Maudite Marguerite fit les gros yeux.

— Ce n'est pas la question. Si tu ne veux pas suivre le règlement du club, tu peux partir.

Ninon ne bougea pas.

— Je peux avoir un biscuit ? demanda-t-elle.

Marguerite lui sourit gentiment.

– Prends-en deux, puis nous nous mettrons au boulot.

Pendant ce temps, derrière des branchages disposés stratégiquement, une autre réunion secrète se tenait dans le jardin voisin.

– Je pense que c'est tout, déclara le chef. Je vais maintenant pouvoir mettre notre plan à exécution.

— Et moi, je fais quoi ? demanda Paul Parfait.

— Tu montes la garde, répondit Horrible Henri.

— C'est toujours moi qui monte la garde, marmonna Paul tandis que le chef se glissait hors de la cachette. C'est pas juste !

— Tu as ton rapport d'espionnage ? demanda Marguerite.

— Oui, répondit Ninon.

— Lis-le à haute voix.

Elle sortit une feuille et commença :

– J'ai espionné la maison de l'ennemi durant deux heures hier matin…

– C'était quel jour ? la coupa Marguerite.

– Samedi matin. Une dame aux cheveux gris avec un béret est passée
devant la maison.

– Un béret de quelle couleur ?

– J'en sais rien.

– Tu parles d'une espionne ! Tu n'as
même pas noté la couleur du béret !

– Puis-je poursuivre la lecture de
mon rapport ? demanda Ninon.

– Je t'en prie, fit Marguerite.

– Ensuite j'ai vu l'ennemi quitter la
maison avec son frère et sa mère.
Il a donné deux coups de pied à son
frère. Sa mère l'a grondé. Puis j'ai vu
le facteur…

– NOUNGA ! tonna une voix à l'extérieur de la tente.

Marguerite et Ninon se figèrent.

– NOUNGA !!! Je sais que vous êtes là.

– Aaaaah ! hurla Ninon. C'est Henri.

– Vite ! Cachons-nous, ordonna Marguerite.

Les espionnes se tapirent derrière leurs deux cartons.

— Tu lui as donné le mot de passe ! siffla Marguerite. Comment as-tu osé ?

— C'est pas moi ! protesta Ninon. Je ne m'en souvenais même pas ! C'est toi qui lui as dit !

— N'importe quoi !

— NOUNGA ! brailla Henri. Je connais le mot de passe, vous devez me laisser entrer.

— Qu'est-ce qu'on fait ? chuchota Ninon. C'est vrai, ça : t'as dit que tous ceux qui connaissaient le mot de passe pouvaient entrer.

— Pour la dernière fois, NOUN-GAAAAA !

— Nounga Nou, soupira Marguerite. Entre.

Lorsqu'il pénétra dans la tente, elle lui lança un regard noir.

– C'est trop aimable, fit-il en fourrant une poignée de biscuits au chocolat dans sa bouche.

Puis il se vautra sur le tapis en mettant des miettes partout.

– Qu'est-ce que vous faites ?

– Rien, répondit Maudite Marguerite.

– Rien, répéta Ninon Ronchon.

– Mais si, vous étiez en train de faire quelque chose.

– Occupe-toi de tes oignons, répliqua Marguerite. Bien, Ninon, les membres du club vont voter pour savoir si on autorise les garçons. Je vote NON.

– Moi aussi, renchérit Ninon.

— Désolé, Henri, tu ne peux pas faire partie du club. Sors !

— Pas question.

— DEHORS ! ordonna Marguerite.

— Essaie un peu pour voir.

Elle prit une profonde inspiration, puis ouvrit grand la bouche pour hurler et Ninon l'imita. Crier plus fort, plus longtemps, plus aigu que Maudite Marguerite, c'est impossible.

Henri se redressa brusquement, renversant la cagette qui leur servait de table.

— Méfiez-vous ! fit-il d'un ton menaçant. La Main Violette n'a pas dit son dernier mot.

Et sur ce, il tourna les talons.

Maudite Marguerite se jeta sur lui pour le pousser hors de la tente. Il s'étala de tout son long.

— Vous ne m'aurez pas ! fit-il en se relevant tant bien que mal avant d'enjamber le mur du jardin. La Main Violette n'abandonne jamais !

— Ah ouais ! grommela Maudite Marguerite. C'est ce qu'on va voir.

Henri jeta un coup d'œil par-dessus son épaule pour vérifier qu'il n'y avait personne dans les parages, puis il retourna à son quartier général.

– Crapaud baveux, murmura-t-il à l'oreille du garde.

Les branchages s'écartèrent. Il se faufila derrière.

– Tu les as attaquées ? demanda Paul Parfait.

– Évidemment. Tu n'as pas entendu Marguerite crier ?

– Comme c'est moi qui ai découvert leur mot de passe, j'aurais dû me charger de cette mission, affirma Paul.

– C'est qui le chef ? répliqua Henri.

La lèvre supérieure de son frère se mit à trembler.

– Dehors ! ordonna Horrible Henri.

– Désolé, fit Paul. Je t'en prie,

Henri, je peux devenir un vrai membre de La Main Violette ?

— Non, tu es trop jeune. Et je t'interdis de venir au QG en mon absence.

— Promis, fit Paul.

— Très bien. Alors voilà le plan : je vais tendre un piège à Marguerite. Lorsqu'elle rentrera dans sa tente…

Henri éclata de rire en imaginant sa pire ennemie dégoulinant d'eau glacée et boueuse.

Pendant ce temps, ça ne se passait pas bien du tout au club secret de Maudite Marguerite.

— C'est ta faute, affirma Marguerite.

— Même pas vrai, répliqua Ninon.

— Tu es une vraie pipelette et, en

plus, tu es complètement nulle comme espionne.

— Même pas vrai.

— C'est moi le chef et je te renvoie du club pendant une semaine parce que tu as donné notre mot de passe à l'ennemi.

— Oh, non, s'il te plaît ! Pas ça ! supplia Ninon.

— Et si, répliqua Marguerite.

Ninon savait que ça ne servait à rien de discuter avec elle quand elle faisait sa tête de « c'est moi qui commande ».

— T'es trop méchante, couina-t-elle.

Maudite Marguerite ouvrit un livre et se mit à lire.

Ninon Ronchon quitta la tente.

« Je sais ce que je vais faire pour me

venger d'Henri, pensa Marguerite. Je vais lui tendre un piège. Comme ça, lorsqu'il rentrera dans son QG… »

Elle éclata de rire en imaginant Horrible Henri dégoulinant d'eau glacée et boueuse.

Juste avant le déjeuner, Henri se faufila dans le jardin de Marguerite avec un seau d'eau et une pelote de ficelle à la main. Il tendit la cordelette à quelques centimètres du sol à l'entrée de la tente et suspendit le seau d'eau au-dessus.

Juste après le déjeuner, Marguerite se faufila dans le jardin d'Henri avec un seau d'eau et une pelote de ficelle à la main. Elle tendit la cordelette à

quelques centimètres du sol juste
à l'entrée du quartier général et
suspendit le seau.

Elle aurait tant aimé voir Henri se
prendre les pieds dans la ficelle et
recevoir l'eau glacée sur la tête !

C'est alors que Paul Parfait sortit dans le jardin avec un ballon sous le bras. Son frère n'avait pas envie de jouer avec lui et il n'avait rien à faire.

« Tiens, et si j'allais au QG ? se dit-il. Après tout, j'ai aidé Henri à le construire. »

Au même moment, Ninon Ronchon se glissait discrètement dans le jardin d'à côté. Elle était d'humeur boudeuse.

« Tiens, et si j'allais dans la tente ? se dit-elle. Je fais aussi partie du club secret après tout. »

En pénétrant dans le quartier général, Paul Parfait se prit les pieds dans la ficelle.

BOUM ! SPLACH !

En pénétrant dans la tente, Ninon Ronchon se prit les pieds dans la ficelle.

BOUM ! SPLACH !

Horrible Henri entendit des hurlements. Il courut dans le jardin en braillant :

– Ha, ha ! Je t'ai bien eue, Marguerite !

Puis il s'arrêta net.

Maudite Marguerite entendit des cris. Elle courut dans le jardin en chantonnant :

— Ha, ha ! Je t'ai bien eu, Henri !

Puis elle s'arrêta net.

— Je vais le dire à maman ! couina Paul Parfait.

— Mais j'ai rien fait, affirma Henri.

— Je vais le dire à ma mère ! hoqueta Ninon Ronchon.

— Mais j'ai rien fait, affirma Maudite Marguerite.

— Mince alors ! s'exclama Henri.

— Mince alors ! s'exclama Marguerite.

Et ils échangèrent un regard noir.

3
Paul n'est plus parfait

— Henri, prends ta fourchette ! ordonna son père.

— Moi, je me sers de ma fourchette, affirma Paul.

— Henri, assieds-toi correctement ! ordonna sa mère.

— Moi, je suis bien assis, fit remarquer Paul.

— Henri, arrête de postillonner ! cria son père.

– Moi, je ne postillonne pas, souligna Paul.

– Henri, ferme la bouche quand tu manges ! cria sa mère.

– Moi, je mange la bouche fermée, insista Paul.

– Henri, arrête le gâchis ! gronda son père.

– Moi, je ne fais pas de gâchis, renchérit Paul.

– Quoi ? fit sa mère.

Tout n'allait pas à la perfection pour Paul Parfait.

« Papa et maman sont tellement occupés à gronder Henri qu'ils ne remarquent même pas que je suis un ange », pensa-t-il.

Quand s'étaient-ils exclamés pour la dernière fois : « Oh fantastique ! Paul, tu prends ta fourchette ! », « Merveilleux, Paul, tu es bien assis ! », « Bravo, Paul, tu ne postillonnes pas ! », « Fabuleux, Paul, tu manges la bouche fermée ! », « Parfait, Paul, tu ne fais jamais de gâchis ! » ?

Paul Parfait se traîna au premier étage. Tout en écrivant un petit mot à tante Agnès afin de la remercier pour la parka superthermique qu'elle lui avait offerte, il ruminait :

« Ils ont tellement l'habitude que je fasse tout parfaitement qu'ils ne remarquent plus rien. Ce n'est pas juste. »

Des voix montèrent du rez-de-chaussée :

– Henri, ne mets pas tes chaussures pleines de boue sur le canapé ! (Voix de papa.)

– Henri, tu es insupportable ! (Voix de maman.)

Alors Paul Parfait se mit à réfléchir.

« Et si je devenais insupportable ? » pensa-t-il soudain.

Il en resta bouche bée. Quelle horrible idée ! Il jeta un coup d'œil autour de lui pour vérifier que personne ne l'avait vu.

Non, il était tout seul dans sa chambre bien rangée. Personne ne pouvait savoir qu'il avait eu une idée aussi monstrueuse.

Il imagina un instant qu'il devenait insupportable. Non, impossible !

Paul termina sa lettre, lut quelques pages de son journal préféré *Bon élève magazine*, puis se coucha et éteignit sa lampe sans qu'on le lui demande.

« Et si j'étais insupportable ? pensa-t-il en s'endormant. Je me demande ce qui se passerait… »

Le lendemain matin, au réveil, Paul Parfait ne fonça pas au rez-de-chaussée pour préparer le petit déjeuner. Non, il resta à paresser au lit cinq minutes.

Lorsqu'il se leva enfin, il ne tira pas la couette.

Il ne remit pas non plus les oreillers.

Non, il regarda sa chambre bien rangée et eut une idée diabolique.

Vite, avant de changer d'avis, il ôta son haut de pyjama, ne le plia pas bien comme il faut et le jeta par terre.

Sa mère entra pile à ce moment-là dans sa chambre.

– Bonjour, mon chéri. Tu as dormi tard, tu dois être fatigué.

Paul espérait qu'elle allait remarquer le bazar.

Mais elle ne dit rien.

– Tu ne remarques rien, maman ?

Elle regarda autour d'elle.

– Non…

– Oh ! fit-il, déçu.

– Pourquoi ?

– Je n'ai pas fait mon lit, annonça Paul.

PAUL N'EST PLUS PARFAIT ■■■

– Parce que tu t'es rappelé que c'était jour de lessive !

Elle ôta les draps, la housse de couette et ramassa le haut de pyjama.

– Merci, mon chéri !

Et elle s'en fut en souriant.

Paul fronça les sourcils. Visiblement, il allait devoir être plus insupportable que ça. Il contempla ses beaux livres parfaitement alignés sur son étagère.

– Non ! protesta-t-il tandis qu'une idée terrible s'insinuait dans son esprit.

Puis il se redressa. Aujourd'hui, il avait décidé d'être insupportable, il fallait donc passer à l'action. Il s'approcha de l'étagère et renversa un rayonnage.

– HENRI ! hurla leur père. DEBOUT !

Horrible Henri passa en traînant les pieds devant la porte de son frère.

Paul Parfait décida de lui dire un truc méchant.

— Salut, gros rat ! lança-t-il.

Et pour faire bonne mesure, il lui tira la langue.

Henri fit irruption dans la chambre de son frère.

— Qu'est-ce que tu viens de dire ?

Paul se mit à pleurer.

Leur mère accourut.

— Tu es vraiment insupportable, Henri ! Regarde le bazar que tu as mis dans la chambre de ton frère.

— Il m'a traité de rat, se défendit-il.

— N'importe quoi ! répliqua sa mère.

— Mais si !

— Paul ne dit jamais des choses

pareilles. Allez, ramasse vite les livres que tu as fait tomber.

— C'est pas moi qui les ai fait tomber, protesta Horrible Henri.

— Alors qui a fait ça, hein ? Le père Noël ?

Henri montra son frère du doigt.

— C'est lui.

— C'est vrai, Paul ? s'étonna leur mère.

Pour être parfaitement insupportable, il aurait fallu que Paul Parfait dise un mensonge, mais il n'y arrivait pas.

— Oui, c'est moi, maman, affirma-t-il.

Ouh, là, là ! il allait se faire gronder !

— Arrête de dire des bêtises. Tu n'as rien fait, tu essaies juste de protéger ton frère.

Elle sourit à Paul et fit les gros yeux à Henri.

– Maintenant laisse ton frère tranquille et va t'habiller.

– Mais c'est le week-end, fit-il valoir.

– Et alors ?

– Paul n'est pas habillé.

– Je suis sûr qu'il était en train de se préparer quand tu l'as interrompu. Tu vois, il a déjà retiré son haut de pyjama.

– Je n'ai pas envie de m'habiller, décréta Paul.

– Pauvre poussin, fit maman. Tu dois être malade. Retourne te coucher, je t'apporte le petit déjeuner au lit. Attends, je vais te mettre des draps propres.

Paul Parfait fit la grimace.

Visiblement, il n'était pas très doué pour être insupportable. Il fallait qu'il se donne plus de mal.

Au déjeuner, Paul Parfait mangea ses spaghettis avec les doigts. Mais personne ne le remarqua, car Horrible Henri prenait les pâtes à pleines poignées pour les fourrer dans sa bouche en faisant de gros slurp.

– Henri, sers-toi de ta fourchette ! gronda son père.

Paul Parfait postillonna dans son assiette.

– Paul, tu t'étouffes ? s'inquiéta son père.

Horrible Henri cracha sur la table.

– Henri ! C'est dégoûtant ! Arrête immédiatement ! hurla sa mère.

Paul Parfait se mit à mâcher la bouche ouverte.

– Paul, tu as mal aux dents, mon chéri ? s'inquiéta sa mère.

Horrible Henri mâcha la bouche ouverte en bavant et avala en faisant le plus de bruit possible.

– Henri ! Dernier avertissement ! tonna son père. Ferme la bouche quand tu manges !

Paul ne comprenait pas. Pourquoi personne ne remarquait qu'il était insupportable ? Il donna un coup de pied à son frère sous la table. Henri le lui rendit. Paul poussa un cri.

Henri se fit gronder. Paul eut une grosse part de gâteau.

Il ne savait vraiment pas quoi faire. Malgré tous ses efforts pour être insupportable, ça ne marchait pas.

— Bon, les garçons, mamie va venir pour le goûter cet après-midi. Alors, s'il vous plaît, ne mettez pas le bazar dans la maison et surtout ne touchez pas aux chocolats.

— Quels chocolats ? demanda Henri.

— T'occupes, répliqua sa mère. Tu en auras quand mamie sera là.

Paul Parfait eut alors une idée monstrueusement diabolique. Il sortit de table sans demander la permission et se faufila dans le salon.

Il chercha en haut. Il chercha en bas. Et trouva une grosse boîte de chocolats cachée derrière les livres.

Il l'ouvrit et croqua un petit morceau de chaque. Lorsqu'il tombait sur un bon rocher, avec du praliné à l'intérieur, il le mangeait. Et les dégoûtants fourrés à la crème de citron

ou à la gelée de framboise, il les remettait dans la boîte.

« Hi-hi-hi », pensa-t-il, tout excité.

Il venait de faire un truc absolument abominable. Ses parents seraient obligés de le remarquer. Puis il jeta un coup d'œil autour de lui.

Ce salon était trop bien rangé, pourquoi ne pas y mettre un peu de bazar ?

Il prit un coussin sur le canapé. Il allait le jeter par terre lorsqu'il entendit quelqu'un se glisser dans la pièce.

— Qu'est-ce que tu fabriques ? demanda Henri.

— Rien, gros rat, répondit Paul.

— Je t'ai déjà dit de pas m'appeler comme ça, crapaud.

— Eh ben, t'as qu'à pas m'appeler crapaud, gros rat.

– Crapaud baveux !

– Gros rat !

– CRAPAUD !

– RAT !

Leur père et leur mère accoururent.

– Henri ! Arrête ça tout de suite !

– Mais j'ai rien fait, c'est Paul qui m'insulte !

Les parents échangèrent un regard perplexe. Que se passait-il ?

– Arrête de mentir, Henri, fit sa mère.

— C'est vrai que je l'ai insulté, maman, confirma Paul. Je l'ai traité de gros rat parce que c'est un gros rat. Na !

Sa mère le dévisagea. Son père le dévisagea. Son frère le dévisagea.

— Si Paul t'a insulté, c'est que tu as dû commencer, reprit finalement sa mère. Alors laisse ton frère tranquille, Henri.

Et sur ce, les parents s'en furent.

— Bien fait pour toi, Henri, décréta Paul Parfait.

— Tu es vraiment bizarre, aujourd'hui, remarqua Horrible Henri.

— Pas du tout !

— Oh que si ! Je le vois bien, affirma Henri. Hé, tu veux faire une blague à mamie ?

– Oh non ! répondit Paul.

Ding dong !

– Mamie est arrivée ! annonça leur père.

Ils s'installèrent tous ensemble dans le salon.

– Je vais poser ton sac, mamie, proposa gentiment Henri.

– Merci, mon chéri.

Pendant que personne ne le regardait, il prit les lunettes de sa grand-mère et les cacha sous le coussin de Paul. Les parents servirent le thé et les gâteaux dans leur plus beau service en porcelaine.

Paul, perché sur le bord du canapé, retenait sa respiration. Sa mère allait d'un instant à l'autre ouvrir la boîte de chocolats à moitié grignotés.

Effectivement, elle se leva et lui tendit la boîte.

— Tiens, Paul, fais passer les chocolats, s'il te plaît.

— Oui, maman.

Il avait les genoux qui jouaient des castagnettes. Tout le monde allait découvrir son terrible méfait ! Il fit tourner la boîte en proposant, le cœur battant :

— Un chocolat, maman ?

— Non merci.

— Et moi ? demanda Henri.

— Un chocolat, papa ? proposa Paul en tendant la boîte d'une main tremblante.

— Non merci.

— Et moi alors ? protesta Henri.

Sa mère fronça les sourcils.

– Chut, Henri, ne sois pas grossier.

– Tu veux un chocolat, mamie ? proposa Paul.

Le moment fatidique était arrivé. Mamie adorait les chocolats.

– Oh oui, avec plaisir !

Elle plissa les yeux pour regarder dans la boîte.

– Alors, voyons, lequel vais-je choisir ? Où sont mes lunettes ?

Elle fouilla dans son sac, retourna toutes ses affaires.

– Bizarre, je croyais pourtant les avoir apportées. Bon, tant pis.

Elle tendit la main, prit un chocolat au hasard et le fourra dans sa bouche.

– Oh, à la fraise ! Et toi, Paul, tu n'en veux pas ?

– Non merci.

— ET MOI ? rugit Horrible Henri.

— Tu n'en auras pas. Tu n'as qu'à être poli, répliqua son père.

Paul serra les dents. Si personne ne remarquait que les chocolats avaient été grignotés, il allait devoir le faire lui même.

— Finalement, je vais prendre un chocolat, annonça-t-il bien fort. Hé, mais qui a mangé tous les rochers pralinés ? Et croqué dans les autres ?

— HENRI ! hurla leur mère. Je t'avais pourtant dit de ne pas y toucher.

— Mais c'est pas moi ! se défendit-il, c'est Paul !

— Ne rejette pas la faute sur ton frère, le coupa sèchement son père. Tu sais bien qu'il ne mange jamais de sucreries.

– C'est pas juste ! protesta Henri, et il arracha la boîte des mains de son frère. JE VEUX UN CHOCOLAT.

Paul la lui reprit et la boîte se renversa. Une pluie de chocolats tomba par terre.

– HENRI ! FILE DANS TA CHAMBRE !

– C'EST PAS JUSTE ! hurla-t-il. Je te promets que tu me le paieras, Paul.

Et sur ces mots, Horrible Henri se rua hors de la pièce en claquant la porte derrière lui.

Mamie tapota la place à côté d'elle sur le canapé. Paul Parfait s'y assit.

Il n'en revenait pas. Qu'allait-il devoir inventer pour se faire remarquer ?

— Alors, comment va mon petit ange ? demanda sa grand-mère.

Paul Parfait soupira.

Mamie le serra dans ses bras.

— Tu es le garçon le plus adorable que je connaisse, tu sais, Paul ?

Il sourit. Sa grand-mère avait raison. Il était adorable.

Non, une minute ! Pas aujourd'hui. Aujourd'hui, il était insupportable.

NON ! Il voulait redevenir parfait. Il en avait assez de jouer les monstres.

Il préférait largement être un petit ange. C'était affreux d'être affreux.

« Voilà, j'ai été insupportable toute la journée, maintenant je peux à nouveau être sage », se dit-il.

Quelle merveilleuse idée ! En souriant, Paul se renfonça dans le canapé.

SCROUNCH !

– Oh, non ! gémit sa grand-mère. Je crois que tu as écrasé mes lunettes. Je me demande comment elles sont arrivées là !

Ses parents le regardèrent.

– C'est pas moi ! protesta Paul.

– Bien sûr que non, j'ai dû les faire tomber. C'est de ma faute, affirma mamie.

– Mmmm, firent les parents.

Paul fila dans la cuisine et regarda autour de lui.

« Maintenant que je suis à nouveau

sage, quelle bonne action pourrais-je accomplir ? » se demanda-t-il.

Il vit alors les tasses et les assiettes sales empilées dans l'évier. Il n'avait jamais fait la vaisselle tout seul, mais son père et sa mère allaient être drôlement contents.

Paul Parfait lava et sécha soigneusement tout le service en porcelaine.

Puis il empila tasses et assiettes pour les ranger dans le placard.

– BBBOOOOUUUH ! cria Horrible Henri en surgissant derrière lui.

CRAC ! BOUM ! BLING !

Henri disparut aussitôt.

Les parents se précipitèrent dans la cuisine.

Leur beau service en porcelaine gisait en miettes sur le carrelage.

– PAUL ! hurlèrent-ils en chœur.

– ESPÈCE DE MONSTRE ! hurla sa mère.

– FILE DANS TA CHAMBRE ! ordonna son père.

– Mais… mais…, bredouilla Paul.

– IL N'Y A PAS DE MAIS, répliqua sa mère. Ma belle vaisselle ! Hors de ma vue !

Paul Parfait fila dans sa chambre en pleurant :

– Bouhouhouhou !

4
Bon anniversaire !

Horrible Henri adorait le mois de février, c'était son mois préféré. Le mois de son anniversaire.

— C'est bientôt mon anniversaire ! hurlait-il tous les jours une fois Noël passé.

Les parents d'Henri avaient horreur du mois de février.

— C'est bientôt l'anniversaire d'Henri, grommelait son père.

— Et son goûter d'anniversaire, marmonnait sa mère.

À chaque fois, ils étaient persuadés que la fête d'anniversaire ne pouvait pas plus mal tourner. Et pourtant c'était pire d'année en année.

À chaque fois, les parents d'Henri décrétaient qu'ils ne le fêteraient plus jamais. Mais chaque année, ils lui donnaient une toute dernière chance.

Comme d'habitude, cette année, Henri avait de grands projets pour son anniversaire.

— Je veux aller au Laser Zap, annonça-t-il.

C'était là que Théo Costaud avait fêté le sien. Ils avaient passé l'après-midi, déguisés en Vengeurs de l'Espace à se tirer dessus dans le noir. Génial !

– NON ! décréta sa mère. C'est trop violent.

– Tout à fait d'accord, enchaîna son père.

– Et beaucoup trop cher, reprit sa mère.

– Tout à fait d'accord, répéta son père.

Il y eut un long silence.

– Cependant, cela voudrait dire que la fête aurait lieu ici, à la maison, reprit son père.

Les parents d'Henri se regardèrent, inquiets.

– Tu as le numéro pour réserver ? demanda sa mère.

– Youpi ! s'écria Henri. Zap ! Zap ! Zap !

Horrible Henri s'installa dans son QG avec un bloc de papier. Sur la couverture, il avait écrit en gros :

PROJET ANNIVERSAIRE
TOP SECRET !!!

En haut de la première page, il avait noté :

Invités

Il y avait une longue liste de noms en dessous.

Henri la relut en mâchonnant son crayon.

« Non, finalement, je ne veux pas inviter cette maudite Marguerite, elle est trop pénible. »

Il la raya de la liste.

« Et Ninon non plus. Trop ronchon. »

« En fait, je ne veux pas de fille du tout à ma fête », décida-t-il.

Il raya Alice Malice et Paula Rapla-pla.

Ensuite, il y avait Louis Langoisse.

« Non, pensa Henri en rayant son nom. Il est pas drôle. »

Théo ? Non, il ne l'aimait pas vraiment.

Au revoir, Théo Costaud.

Colin ?

« Pas question, il va se mettre à pleurer dès qu'il aura été zappé ! »

Au revoir, Colin Ouin-Ouin.

Alexis ?

Henri réfléchit. Alexis, c'était pas mal, parce qu'il allait sûrement faire des bêtises. Mais, en même temps, il ne l'avait pas invité à son anniversaire.

Il raya Alexis Malpoli.

Et pareil pour Lucas Blabla, Sacha Sympa, Léon Glouton et Hugo Tornado.

Et il était absolument hors de question que Paul soit dans les parages le jour de son anniversaire.

Aaah ! Voilà qui était beaucoup mieux. Pas question que d'horribles gamins viennent gâcher son anniversaire.

Il n'y avait qu'un tout petit problème.

Il ne restait plus un seul nom sur la liste.

Pas d'invités, pas de cadeaux…

Horrible Henri se pencha de nouveau sur sa liste. Maudite Marguerite était une sale râleuse et il la détestait, mais elle avait des idées de cadeaux pas mal. Il s'était bien amusé avec le pot géant de Slime phosphorescent qu'elle lui avait offert l'an dernier.

Et Théo Costaud l'avait invité à son anniversaire.

Hugo Tornado gigotait tellement qu'il n'arrêtait pas de renverser des

trucs, c'était trop drôle. Léon Glouton allait encore trop manger et roter. Quant à Alexis Malpoli, il dirait tellement de gros mots que ça énerverait les adultes.

« Bon, je vais tous les inviter, décida finalement Henri. Tous sauf Paul, évidemment. Plus j'invite de monde, plus j'aurai de cadeaux ! »

Il tourna la page et écrivit :

Les cadeaux que je veux
- le Super Splasher 2000, le meilleur pistolet à eau du monde,
- un kit d'espion,
- une voiture télécommandée,
- du Slime,
- une PWX III console de jeux dernière génération,

- les Gorilles Ninjas Intergalactiques,
- des boules puantes,
- un rat,
- un coussin péteur,
- un VTT 25 vitesses,
- de l'argent.

Il ne restait plus qu'à laisser traîner la liste dans le salon afin que ses parents tombent dessus.

– Henri, j'ai préparé le menu pour ton goûter d'anniversaire, annonça sa mère. Qu'est-ce que tu en penses ?

Menu de maman

Bâtonnets de carotte,
Sandwichs au concombre,
Sandwichs au beurre de cacahuètes,
Raisin,

Abricots secs,
Jus de pomme,
Gâteau à la carotte.

– BEURK ! s'exclama Horrible Henri. Pas question que je mange comme un lapin pour mon anniversaire. Je veux des trucs que j'aime.

Menu d'Henri

Méga Hot Crokicrok au piment rouge,
Zapizzas Double Fromage,
Chipstar Oignon-Bacon,
Crunchy Croco Triple Crousty,
Twistipop Superchoc,
Ultrafizz Soda Citron violet,
Barres chocolatées,
Œufs-surprises en chocolat,
Gros gâteau au chocolat.

– Je ne suis pas d'accord pour que tu manges ces cochonneries.

– Ce ne sont pas des cochonneries. Dans les Chipstar, il y a des patates et des oignons, dans les Crokicrok du piment, ça fait déjà trois légumes.

– Henri…, gronda sa mère d'un air féroce.

Alors il rajouta en toutes petites lettres au bas de son menu :

Sandwichs au beurre de cacahuètes

– Mais on les mettra au milieu de la table pour que personne ne soit obligé d'en manger, précisa-t-il.

– D'accord, soupira sa mère.

Des années de disputes à propos de ses goûters d'anniversaire l'avaient épuisée.

– Et je n'invite pas Paul.

– Quoi ? ! s'écria Paul Parfait, cessant soudain de cirer ses chaussures.

– Paul est ton frère, il est obligé de venir.

Henri fit la grimace.

– Mais il va tout gâcher.

– Pas de Paul, pas de fête, décréta leur mère.

Henri fit semblant d'être un dragon cracheur de feu.

– Aaaaah ! hurla Paul.

– Arrête tes bêtises, Henri ! ordonna leur mère.

– Bon, d'accord, je t'invite. Mais t'as intérêt à ne pas être dans mes pattes, Paul.

– Maman ! Henri est méchant avec moi !

– Ça suffit, Henri.

Horrible Henri décida alors de changer de sujet.

– On va préparer des petits cadeaux pour mes copains. Du Slime et des tonnes de bonbons ! Des fausses cigarettes, des dents de vampire, des lunettes de zombie !

– On verra, soupira sa mère.

Elle consulta le calendrier. Plus que deux jours et le pire serait passé.

Enfin, l'anniversaire d'Henri arriva.

– Joyeux anniversaire, Henri ! fit sa mère.

– Joyeux anniversaire, Henri ! fit son père.

– Joyeux anniversaire, Henri ! fit son frère.

– Où sont mes cadeaux ? demanda-t-il, plein d'espoir.

Son père lui montra la pile. Henri s'y attaqua aussitôt.

Ses parents lui avaient offert un Dictionnaire Junior, un Scrabble, un stylo-plume, un gilet tricoté main, un globe terrestre lumineux et trois lots de tricots de corps et de slips.

– Oh, murmura-t-il en poussant ces horreurs dans un coin. Y a rien d'autre ?

Ils avaient peut-être gardé le Super Splasher pour la fin.

— J'ai un cadeau pour toi, annonça Paul Parfait. Je l'ai choisi tout seul.

Horrible Henri déchira le paquet. C'était un canevas à broder.

— Beurk !

— Je vais le faire si tu n'en veux pas, proposa son frère.

— Non, c'est à moi !

– Quelle bonne idée d'organiser le goûter d'Henri au Laser Zap ! remarqua son père.

– Oui, acquiesça sa mère, on est tranquilles, pas de dégâts, pas de drames.

Ils échangèrent un sourire satisfait.

Dring, dring !

Le père d'Henri décrocha le téléphone. C'était la dame du Laser Zap.

– Bonjour, j'appelais juste afin de connaître le nom du héros de la fête. Je lui souhaiterai un bon anniversaire au micro.

Lorsque le père d'Henri donna son nom, un cri horrifié retentit à l'autre bout du fil. Il fut obligé d'éloigner le combiné de son oreille.

Et les hurlements continuaient. La dame avait l'air très énervée.

– Bien, bien. Je comprends, marmonna-t-il. Merci.

Il raccrocha, blanc comme un linge.

– Henri !

– Ouais ?

– C'est vrai que tu as mis le Laser Zap sens dessus dessous quand tu y es allé pour l'anniversaire de Théo ?

– Pas du tout, répondit-il d'un air innocent.

– Bousculé et tapé plusieurs enfants ?

– Mais non !

– Si, protesta Paul Parfait, et tu as même cassé trois pistolets laser.

– Même pas vrai.

— Et étalé du Slime sur les tenues de Vengeurs de l'Espace, ajouta Paul.

— C'est pas moi, rapporteur ! le coupa son frère. Et alors, ma fête ?

— À cause de tes bêtises, tu es interdit de séjour au Laser Zap ! annonça son père.

— Mais où va-t-on faire son goûter d'anniversaire ? s'inquiéta sa mère, blanche comme un yaourt.

— Ouais, et ma fête, alors ? couina Henri. Je veux aller au Laser Zap !

— Ce n'est pas grave, affirma son père avec une gaieté forcée. Je connais des tas de jeux très amusants.

Ding, dong !
Ninon Ronchon arriva la première.
Horrible Henri lui arracha le gros

paquet qu'elle avait dans les mains.
C'était un bloc de papier et des
feutres.

– Oh, super ! commenta sa mère.
Qu'est-ce qu'on dit, Henri ?

– J'en ai déjà.

– Henri, sois poli.

« Trop nul ! pensa-t-il. C'est le pire
jour de toute ma vie. »

Ding, dong !

Cette fois, c'était Louis Langoisse,
avec un petit paquet à la main.

Henri le lui arracha des mains.

– Il est minuscule, remarqua-t-il en arrachant le papier. Et il sent bizarre.

C'était un savon en forme d'hippo-potame.

– Waouh, génial ! s'exclama son père. Qu'est-ce qu'on dit, Henri ?

– Baaah !

– Henri, sois poli !

Horrible Henri fit la moue.

– C'est mon anniversaire, je fais ce que je veux.

– Gare à toi, jeune homme ! le menaça son père.

Henri lui tira la langue dans son dos.

Les autres invités arrivèrent petit à petit.

Paula Raplapla lui offrit le livre-CD *Les plus beaux contes de fées* : Cendrillon, Blanche-Neige et la Belle au bois dormant.

— Fantastique ! fit sa mère.

— Pouarc ! fit Henri.

Alice Malice lui tendit un paquet carré. Henri le prit du bout des doigts en marmonnant :

— C'est un livre !

— J'adore les livres ! s'écria Paul Parfait.

— Merveilleux, commenta leur mère. C'est quel titre ?

Henri le déballa lentement.

— *Recettes santé pour petits futés.*

— Super ! s'exclama Paul Parfait. Je pourrai te l'emprunter ?

— NON ! brailla son frère.

Et il jeta le livre par terre pour sauter dessus à pieds joints.

– Henri, gronda sa mère, quand on t'offre un cadeau, il faut dire merci.

Alexis Malpoli fut le dernier à arriver. Il tendit à Henri un long paquet rectangulaire emballé dans du papier journal.

C'était un pistolet à eau Super Splasher 2000.

– Oh non ! fit la mère d'Henri.

— Vite, cache-le, ordonna son père.

— Merci, Alexis, fit Henri, le sourire jusqu'aux oreilles. C'était justement ce que je voulais.

— On va commencer par « Passe le cadeau à ton voisin », annonça le père d'Henri.

— Je déteste ce jeu, marmonna Henri.

Son goûter d'anniversaire était complètement raté.

— J'adore ce jeu ! affirma Paul Parfait.

— J'ai pas envie de jouer, ronchonna Ninon Ronchon.

— Quand est-ce qu'on mange ? demanda Léon Glouton.

Le père d'Henri mit la musique.

— Fais passer le cadeau, Colin.

– Non ! couina Colin. Il est à moi.

– Mais tant qu'il y a de la musique, il faut le passer à son voisin, c'est le jeu.

Colin Ouin-Ouin fondit en larmes.

Horrible Henri tenta de lui arracher le paquet.

Son père éteignit la musique.

Colin arrêta instantanément de pleurer pour déchirer le papier.

– Une barre de céréales.

– C'est trop nul, comme cadeau, décréta Alexis Malpoli.

– C'est bientôt mon tour ? s'inquiéta Louis Langoisse.

– Quand est-ce qu'on mange ? répéta Léon Glouton.

– J'ai horreur de ce jeu ! hurla Horrible Henri. On joue à autre chose.

— « Les statues » ! annonça sa mère avec enthousiasme.

— Tu as bougé, Henri, tu es éliminé ! annonça son père.

— C'est pas vrai.

— Si, c'est vrai, protesta Théo Costaud.

— Non, pas du tout, affirma Henri. Je reste.

— C'est pas juste ! cria Ninon Ronchon.

— Je joue plus, couina Colin Ouin-Ouin.

— Je suis fatiguée, soupira Paula Raplapla.

— Je déteste le jeu des statues, pesta Maudite Marguerite.

— Il est où mon cadeau ? demanda

Alexis Malpoli. Quoi, un marque-page ? C'est tout ?

– C'est l'heure du goûter ! annonça le père d'Henri.

Les enfants se ruèrent sur la table dans la bousculade et se jetèrent sur la nourriture.

– J'aime pas les boissons gazeuses, déclara Théo Costaud.

– J'ai mal au cœur, gémit Léon Glouton.

– Où sont les bâtonnets de carotte ? voulut savoir Paul Parfait.

Horrible Henri s'assit au bout de la table.

Il n'avait pas envie de jeter des chips sur Alice Malice.

Il n'avait pas envie de se battre avec Théo Costaud et Alexis Malpoli.

Il n'avait même pas envie de donner un coup de pied à Paul.

Il aurait voulu être au Laser Zap.

Soudain, Horrible Henri eut une idée horriblement géniale. Il se leva et quitta discrètement la pièce.

— Voilà des petits sachets de cadeaux à remporter chez vous ! annonça le père d'Henri.

— Qu'est-ce qu'il y a dedans ? demanda Théo Costaud.

— Des graines pour faire pousser des herbes aromatiques, répondit la mère d'Henri.

— Et les bonbons, alors ? s'étonna Léon Glouton.

— Jamais vu de goûter d'anniversaire aussi nul, grommela Alexis Malpoli.

Soudain un gros bruit retentit et Henri surgit dans la pièce avec son Super Splasher 2000 à la main.

— ZAP ! ZAP ! ZAP ! hurla-t-il en arrosant tout le monde. Hé, hé ! Je vous ai bien eus !

Splouch ! fit le gâteau.

Splich ! firent les boissons.

— Aaaaaaaaaaaaaah ! hurlèrent les enfants trempés.

– HENRI ! hurlèrent son père et sa mère.

– ESPÈCE DE MONSTRE ! tonna sa mère, les cheveux dégoulinants. FILE DANS TA CHAMBRE !

– C'ÉTAIT TON DERNIER GOÛTER D'ANNIVERSAIRE ! brailla son père, la chemise mouillée.

Mais Henri s'en fichait, ils disaient la même chose chaque année, de toute façon.

Fin

Francesca Simon est née à Saint Louis, dans
le Missouri, et a passé toute son enfance en
Californie. Elle fait ses études à Yale et à Oxford,
où elle se spécialise en littérature médiévale.
Renonçant à devenir une médiéviste réputée,
elle se lance dans le journalisme et collabore
au *Sunday Times*, au *Guardian*, au *Telegraph*
ainsi qu'à *Vogue* (US). Après la naissance de son fils
Joshua, en 1989, elle décide de se consacrer
à l'écriture de livres pour la jeunesse.
Francesca Simon habite aujourd'hui à Londres.
Considérée comme l'un des auteurs pour enfants
les plus populaires de Grande-Bretagne, Francesca
Simon a publié plus d'une cinquantaine de livres
à ce jour. *Horrible Henri*, dont les premières
aventures ont débuté il y a près de quinze ans,
est devenu un véritable phénomène éditorial.

Tony Ross est né à Londres en 1938. Après
des études d'art à la Liverpool School of Art,
il travaille comme graphiste puis directeur artistique
d'une agence publicitaire et dispense également
des cours. Il développe dans le même temps
une carrière d'illustrateur en publiant des bandes
dessinées dans le magazine satirique *Punch*.
Son premier livre paraît en 1976. Créateur d'albums
inoubliables comme *La Petite Princesse*, Tony Ross
a également illustré les œuvres des plus grands
auteurs pour enfants.

Retrouve

Horrible Henri

le cauchemar des enfants sages !

HORRIBLE HENRI
Folio Cadet n° 557

Henri peut-il rivaliser avec son petit frère Paul Parfait
dans le rôle d'enfant sage ? ♦ Convaincra-t-il ses parents
qu'il est plus doué pour le karaté que pour la danse ? ♦
Maudite Marguerite osera-t-elle avaler un breuvage
répugnant ? ♦ Henri a-t-il vraiment une tête
à passer ses vacances au camping ?

LA CHASSE AUX POUX
Folio Cadet n° 559

Henri échappera-t-il au shampooing Zigouille Poux ? ♦
Réussira-t-il à baratiner ses copains pour s'acheter
le jouet de ses rêves ? ♦ N'est-il pas le garçon tout
indiqué pour pimenter une sortie au musée ? ♦
Peut-on le priver de son dessert préféré
sans encourir une terrible vengeance ?